Michel L'Hébreux

Ce sera le plus grand pont du monde!

La construction du pont de Québec 1900-1917

Mémoire d'images **Les 400 coups**

Nous remercions le Conseil des Arts
du Canada de l'aide accordée à notre
programme de publication et la
SODEC pour son appui financier
en vertu du Programme d'aide aux
entreprises du livre et de l'édition
spécialisée.

Nous reconnaissons l'aide financière
du gouvernement du Canada par
l'entremise du Programme d'aide
au développement de l'industrie
de l'édition (PADIÉ) pour nos
activités d'édition.

Ce sera le plus grand pont du monde !
a été publié sous la direction
de Catherine Germain.

Design graphique et mise
en couleurs : Andrée Lauzon
Révision : Catherine Germain,
Gilles McMillan
Correction : Anne-Marie Théorêt

Diffusion au Canada
Diffusion Dimedia inc.
539, boulevard Lebeau
Saint-Laurent (Québec)
H4N 1S2

Diffusion en Europe
Le Seuil

© 2005 Michel L'Hébreux et
les éditions Les 400 coups
Montréal (Québec) Canada

Dépôt légal – 4ᵉ trimestre 2005
Bibliothèque nationale du Québec
Bibliothèque et Archives Canada

ISBN 2-89540-173-X

Loi 49-956 du 16 juillet 1949 sur les
publications destinées à la jeunesse.

Imprimé au Canada sur les presses
de Litho Mille-Îles ltée

Au XIXe siècle, un pont de glace était aménagé, l'hiver, sur le fleuve Saint-Laurent pour permettre les échanges entre la ville de Lévis, sur la rive sud, et celle de Québec, sur la rive nord.

À mes petits-enfants et
à tous les jeunes lecteurs.
Je souhaite qu'une réalisation
comme celle du pont de Québec
leur donne le goût des belles
et grandes choses.
M. L.

GRAND TRUNK LOCOMOTIVE – BUILT in G.T.R. SHOPS 1859

HAULED ROYAL TRAIN WITH PRINCE of WALES,
(KING EDWARD VII) THROUGH CANADA 1860.

Le train arrive

Novembre 1854. Avec la construction du chemin de fer,
le train arrive pour la première fois sur la rive sud du fleuve
Saint-Laurent, à Lévis, en face de la ville de Québec.
Ce nouveau moyen de transport va transformer profondément
la vie des habitants de toute la région.

La ville de Québec, de l'autre côté du fleuve, sans moyen
de transport moderne, perd alors beaucoup d'importance.

Le commerce et toutes les activités maritimes se développent dorénavant du côté de Lévis. Chantiers, industries, hôtels et magasins de toutes sortes s'installent près du chemin de fer.

À Québec, les dirigeants de la ville cherchent un moyen de récupérer une partie des activités qui font la prospérité de Lévis. On construit un bateau spécial appelé « traversier-rail » qui permet de transporter des wagons jusqu'à Québec.

Mais construire un pont, ne serait-ce pas la meilleure solution ?

Le Léonard, traversier-rail de la Compagnie de chemin de fer Transcontinental. Il a effectué la navette entre Lévis et Québec de 1885 à 1920.

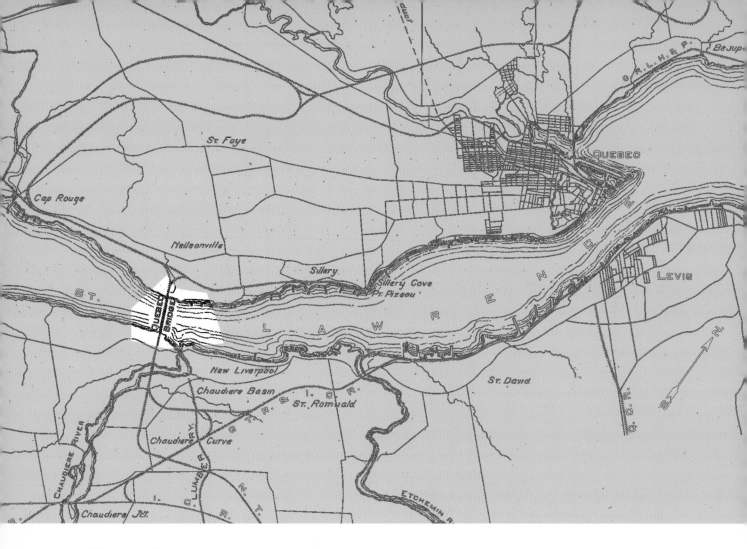

Un grand projet

La Quebec Bridge Company, dirigée par le maire de Québec Simon-Napoléon Parent, commande des études à un ingénieur, monsieur Hoare, qui fait les recommandations suivantes :

« Le site près de la rivière Chaudière m'apparaît être le meilleur emplacement pour construire le pont. (…) C'est là que le Saint-Laurent est le plus étroit… et à cet endroit, on aurait à creuser moins profondément dans le sol pour atteindre le roc sur lequel s'appuieront les piliers du pont. (…) Je recommande également de construire un pont de principe cantilever, reconnu pour sa solidité. »

Qu'est-ce qu'un pont cantilever ?

Voici le dessin et l'explication de monsieur Hoare. Les deux chaises portent
le poids des deux hommes assis de chaque côté, comme les piliers principaux
du pont le feront pour la structure placée au-dessus. Les bras des hommes,
étendus, sont appuyés sur des bâtons. Les bras et les bâtons représentent
les bras cantilever et les bras d'ancrage du pont.

La planche au centre sur laquelle est assis un Japonais, c'est la travée centrale
suspendue. (Le Japon est le pays inventeur de ce principe de construction.)
Les briques situées aux deux extrémités montrent le contrepoids qui sera exercé
par les piliers d'ancrage.

Ainsi, la charge exercée sur la planche centrale crée deux types de forces : une
tension (force qui tire) sur les bras des deux hommes et sur les câbles d'ancrage ;
une compression (force qui pousse) sur les corps des deux hommes, à partir des
épaules vers le bas, ainsi que sur les bâtons utilisés pour soutenir leurs bras.

La construction d'un caisson
est terminée. On se prépare
à le mettre à l'eau.

Le caisson après son lancement.
Un remorqueur le dirige maintenant
à l'endroit où le pilier du pont
sera construit.

Quatre piliers

La construction débute en octobre 1900. Les ouvriers de la William Davis & Sons Co. doivent creuser le fond du fleuve pour atteindre le roc sur lequel les quatre piliers du pont vont s'appuyer. Ils utilisent des caissons pour travailler sous l'eau. Ce sont de grosses boîtes en bois, sans fond, que l'on enfonce dans l'eau.

À l'intérieur, comme dans les avions, on maintient de l'air sous compression pour que les ouvriers puissent travailler.

Au fond du caisson, marchant dans la boue jusqu'aux genoux, une quarantaine d'hommes doivent pelleter le sable détrempé que des aspirateurs projettent à l'extérieur du caisson. Les grosses pierres sont évacuées par un gros tuyau.

Parfois, on doit dynamiter la roche et il arrive que les éclats provoqués par les explosions blessent les travailleurs, qui n'ont aucun endroit pour se mettre à l'abri. Les variations de la pression d'air provoquent des saignements, des évanouissements et des paralysies. Certains ouvriers en meurent.

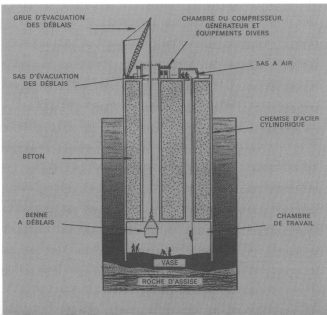

État de la construction – 23 août 1907.
Le bras d'ancrage sud est à moitié terminé.

La superstructure

Comme le pont doit être de dimension gigantesque (près d'un kilomètre de long), on fait appel à un ingénieur expert de New York, Theodore Cooper, qui a déjà réalisé plusieurs ponts aux États-Unis, dont celui qui enjambe le Mississipi, à Saint-Louis. Aussitôt engagé, Cooper modifie le plan du pont, en allongeant de 61 mètres la distance entre les piliers principaux.

Ainsi, le pont de Québec sera le plus long pont cantilever au monde avec 28 mètres de plus que le Firth of Forth Bridge, en Écosse !

La construction de la superstructure débute en 1905. Elle est confiée à une compagnie américaine, la Phoenix Bridge Co. Les travaux avancent jusqu'à l'été 1907, quand les ouvriers constatent que certaines membrures se courbent et qu'ils ont de la difficulté à aligner les pièces de métal. Les jours où le vent souffle fort, certains ouvriers, craignant pour leur vie, refusent même de travailler.

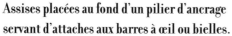

Assises placées au fond d'un pilier d'ancrage servant d'attaches aux barres à œil ou bielles.

15 août 1906. Les barres à œil atteignent le sommet d'un bras cantilever.

Les particularités techniques

De grandes tiges d'acier trouées aux deux extrémités (appelées barres à œil ou bielles) sont reliées les unes aux autres et traversent le pont sur toute sa longueur pour aboutir au fond des piliers d'ancrage, qui servent de contrepoids. Les barres à œil relient les piliers au pont et lui assurent une certaine flexibilité.

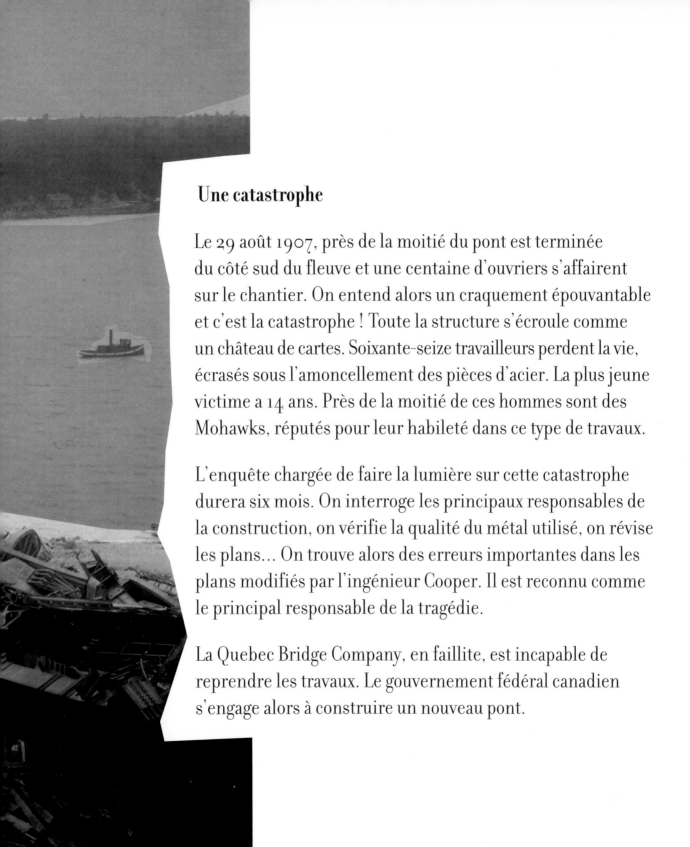

Une catastrophe

Le 29 août 1907, près de la moitié du pont est terminée du côté sud du fleuve et une centaine d'ouvriers s'affairent sur le chantier. On entend alors un craquement épouvantable et c'est la catastrophe ! Toute la structure s'écroule comme un château de cartes. Soixante-seize travailleurs perdent la vie, écrasés sous l'amoncellement des pièces d'acier. La plus jeune victime a 14 ans. Près de la moitié de ces hommes sont des Mohawks, réputés pour leur habileté dans ce type de travaux.

L'enquête chargée de faire la lumière sur cette catastrophe durera six mois. On interroge les principaux responsables de la construction, on vérifie la qualité du métal utilisé, on révise les plans… On trouve alors des erreurs importantes dans les plans modifiés par l'ingénieur Cooper. Il est reconnu comme le principal responsable de la tragédie.

La Quebec Bridge Company, en faillite, est incapable de reprendre les travaux. Le gouvernement fédéral canadien s'engage alors à construire un nouveau pont.

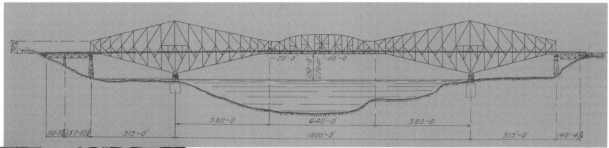

Un nouveau pont

Le gouvernement engage trois ingénieurs pour préparer de nouveaux plans selon le même principe cantilever. Cette fois, c'est la St. Lawrence Bridge Company qui construira la superstructure. L'acier provient de Pittsburgh, aux États-Unis, et les pièces sont fabriquées à Rockfield, dans la région de Montréal, au Québec. Elles sont ensuite expédiées par chemin de fer jusqu'au site de construction du pont.

Les membrures sont assemblées sur le chantier selon une géométrie en forme de K. Ce treillis en K, que l'on voit clairement sur le plan, donne des diagonales plus courtes entre les pièces verticales et permet ainsi au pont de mieux résister aux forces de compression.

Les travaux débutent, en 1910, à partir de la rive nord.

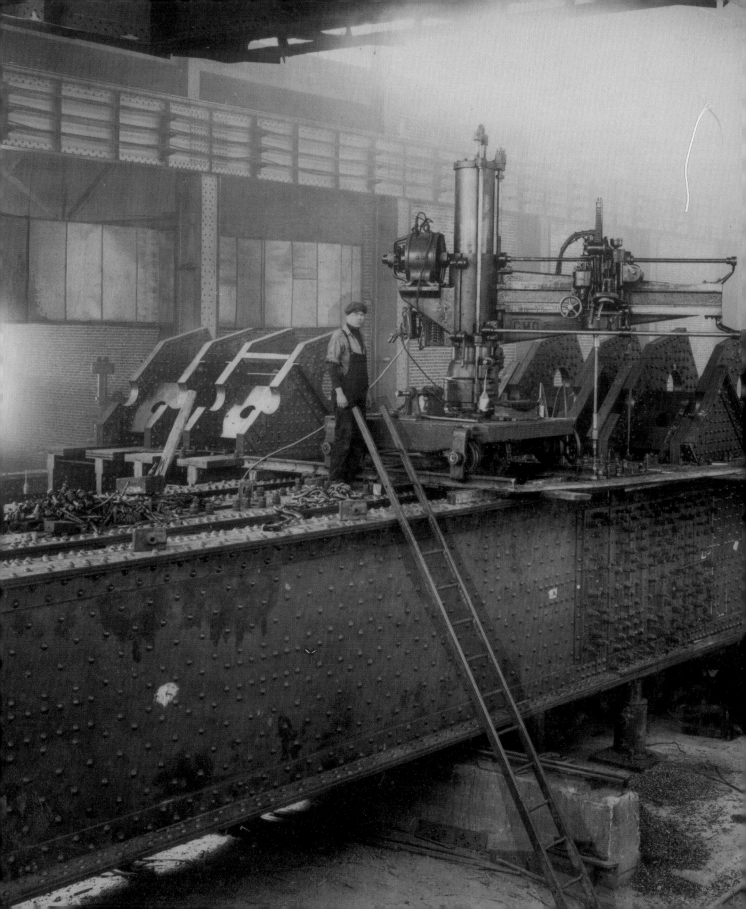

Les travaux avancent

Dès que l'amas d'acier tordu du premier pont, côté sud, a été déblayé, on commence la construction du deuxième losange, constitué lui aussi d'un bras d'ancrage et d'un bras cantilever.

En 1916, les deux structures du pont (côté nord et côté sud) sont terminées. Il ne reste plus qu'à installer la travée centrale pour les réunir.

L'équipe de rivetage se compose généralement de quatre hommes : celui qui lance les rivets chauffés à blanc, celui qui les attrape au vol avec un cornet pour les passer avec de grandes pinces d'acier à un troisième, qui les met en place dans les trous préparés à cet effet. Le dernier homme de l'équipe, à l'aide de son marteau à riveter, écrase les deux extrémités du rivet chauffé à blanc. Nombre total de rivets : 1 066 740.

Une opération difficile

Pendant ce temps, la travée centrale est construite dans l'anse de Sillery,
à quelques kilomètres du chantier. Elle mesure 195 mètres de long et pèse
5000 tonnes. Le 11 septembre 1916, les conditions favorables sont réunies
pour procéder à son déplacement et à son installation. À marée basse, on place
six bateaux plats sous la travée et on profite de la marée montante pour la faire
flotter. Cinq remorqueurs la dirigent vers le pont, situé 5,5 kilomètres plus loin.

Plus de 100 000 personnes sont massées sur les deux rives du fleuve pour assister à cet événement spectaculaire, réalisé pour la première fois dans l'histoire.

L'opération est très périlleuse et l'on veut éviter une nouvelle catastrophe. Il faut d'abord accrocher la travée aux tiges d'acier qui pendent des quatre coins des bras cantilever.

Une, deux, trois… Une nouvelle catastrophe

À 8 h 50, le 11 septembre 1916, les quatre crics hydrauliques commencent
à actionner les huit leviers et l'ascension de la travée centrale débute, 61 cm
à la fois. La travée doit monter de plus de 45 m pour arriver à égalité avec le tablier
du pont. Les hommes effectuent avec succès trois montées consécutives puis,
au moment où l'on termine la quatrième, on entend un bruit assourdissant :
la travée se tord et s'engouffre dans les eaux du fleuve Saint-Laurent.

Cette deuxième catastrophe fait 13 morts et 14 blessés parmi les ouvriers. Quelques jours plus tard, l'enquête attribue la cause de l'accident à une pièce d'acier défectueuse qui s'est brisée sous la travée pendant l'ascension.

Les dirigeants de la St. Lawrence Bridge Company ne se découragent pas. Ils s'engagent à construire une autre travée centrale et à l'installer dans un délai d'un an.

Quant à la travée perdue, elle gît toujours au fond du fleuve.

Le succès

L'année suivante, en septembre 1917, une nouvelle travée centrale est prête à être transportée et installée. On procède exactement de la même façon que l'année précédente. On décide toutefois de faire les choses plus lentement et de travailler avec grande prudence.

Après quatre jours de manœuvres, le 20 septembre, la travée centrale arrive à égalité avec le tablier du pont. On assiste alors à de nombreuses manifestations de joie : les ouvriers se félicitent les uns les autres et des centaines de bateaux passent sous le pont en faisant résonner leurs sirènes. À 16 heures, on a terminé l'installation des huit puissantes chevilles qui encore aujourd'hui maintiennent en place la travée centrale du pont de Québec.

pilier principal

pilier d'ancrage

bras d'ancrage

bras cantilever

Le pont en chiffres

On aperçoit bien clairement les deux structures en losange, appuyées chacune sur un pilier central. Suspendue entre les deux structures et accrochée à leurs extrémités se trouve la travée centrale. Des tiges de métal (les barres à œil) attachées les unes aux autres traversent le pont et pénètrent à l'intérieur des deux piliers d'ancrage, sur les bords du fleuve, où elles sont fixées solidement.

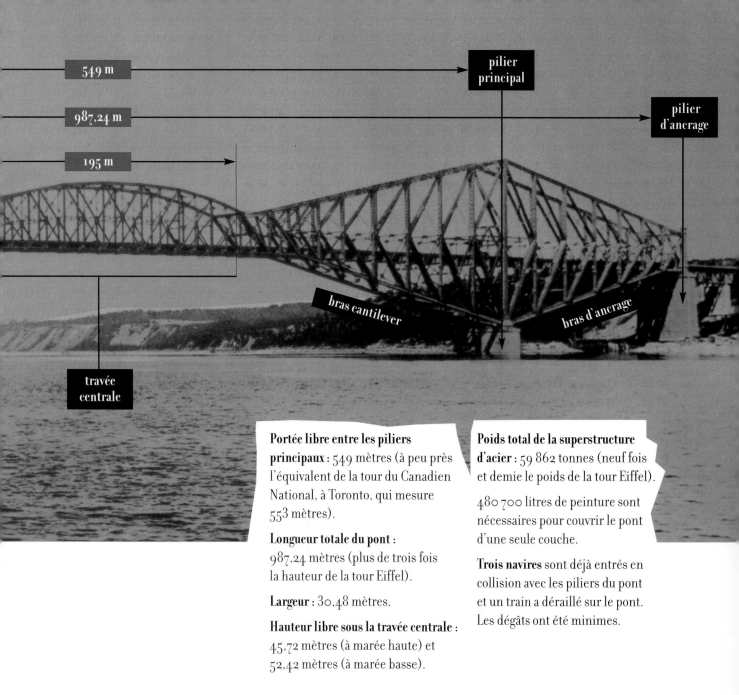

549 m

987,24 m

195 m

pilier principal

pilier d'ancrage

bras cantilever

bras d'ancrage

travée centrale

Portée libre entre les piliers principaux : 549 mètres (à peu près l'équivalent de la tour du Canadien National, à Toronto, qui mesure 553 mètres).

Longueur totale du pont : 987,24 mètres (plus de trois fois la hauteur de la tour Eiffel).

Largeur : 30,48 mètres.

Hauteur libre sous la travée centrale : 45,72 mètres (à marée haute) et 52,42 mètres (à marée basse).

Poids total de la superstructure d'acier : 59 862 tonnes (neuf fois et demie le poids de la tour Eiffel).

480 700 litres de peinture sont nécessaires pour couvrir le pont d'une seule couche.

Trois navires sont déjà entrés en collision avec les piliers du pont et un train a déraillé sur le pont. Les dégâts ont été minimes.

Le pont de Québec est le plus long pont cantilever au monde.

Enfin, selon une légende, un boulon d'or aurait été inséré dans la structure du pont au moment de la construction. Ce boulon serait-il toujours en place ?

Un premier train

Le 3 décembre 1917, on assiste enfin au passage du premier train sur le pont de Québec. La locomotive à vapeur Mikado, fraîchement sortie de l'usine, tire le convoi dans lequel ont pris place plusieurs personnalités officielles. Quelques mois plus tard, onze compagnies de chemin de fer peuvent

Son Altesse le prince de Galles inaugure le pont le 22 août 1919.

Le premier train franchit
le pont de Québec.

établir un lien direct avec la ville de Québec et la rive nord du fleuve Saint-Laurent. Il n'y a pas de voie carrossable sur le pont, mais seulement deux voies ferrées et des trottoirs pour les piétons. Cette année-là, on met à l'épreuve la résistance du pont en le soumettant à des poids considérables. Le 21 août 1918, quatre trains chargés de fer s'immobilisent pendant plus de deux heures sur la partie suspendue, entre les piliers du pont.

Une fois ce test réussi, plus personne ne doute de la solidité du pont de Québec.

Les grandes transformations

En 1929, il y a de plus en plus d'automobiles sur les routes. On dégage alors un premier couloir très étroit entre les deux voies ferrées pour permettre aux voitures d'emprunter le pont. Des gardiens arrêtent la circulation lorsqu'un camion ou un autobus se présente à l'une des entrées du pont. En effet, des véhicules de cette taille ne peuvent passer en même temps qu'une voiture. Le passage est payant à cette époque et comme le péage est élevé, on n'emprunte le pont de Québec que lorsque c'est nécessaire.

En 1949, le nombre de voitures en circulation ne cesse d'augmenter. On enlève alors une des deux voies ferrées sur le pont pour élargir la voie carrossable à 9,15 mètres.

Au début des années 1960, le chemin élargi ne suffit plus. Les bouchons sont si fréquents aux entrées du pont qu'il faut penser à une autre solution : la construction d'un nouveau pont, selon des techniques encore plus modernes. Mais ça, c'est une autre histoire !...

CRÉDITS PHOTOGRAPHIQUES

Couverture : Bibliothèque et Archives du Canada (BAC),
   PA 44430.

Couvertures intérieures : Archives Nationales du Québec
   (ANQ), P509, D4, P8. Les travailleurs du pont.

Page 3 : ANQ, GH 371-23.

Page 4 : BAC, C – 5164, locomotive de la compagnie
   du Grand Trunk, 1859,

Page 5 : BAC, PA 44167, le traversier-rail *Léonard*.

Pages 6 et 7 : St. Lawrence Bridge Co., carte topographique
   du site choisi.

Pages 8 et 9 : 1. St. Lawrence Bridge Co., la construction
   du caisson terminée, on se prépare à le mettre à l'eau.
   2. St. Lawrence Bridge Co., après le lancement, un
   remorqueur dirige le caisson vers l'endroit où le pilier
   du pont sera construit. 3. Coupe d'un caisson
   pneumatique (collection de l'auteur).

Pages 10 et 11 : 1. BAC, PA 29229.

Pages 12 et 13 : 1. Coupe transversale d'un pilier d'ancrage
   (collection de l'auteur). 2. St. Lawrence Bridge Co., les barres
   à œil au fond d'un pilier d'ancrage. 3. BAC, PA 108759,
   les barres à œil atteignent le sommet d'un bras cantilever,
   15 août 1906.

Pages 14 et 15 : BAC, C 9766.

Pages 16 et 17 : 1. St. Lawrence Bridge Co., plan choisi pour
   le 2e pont. 2. BAC, PA 108792, l'usinage des poutres
   d'acier, à Rockfield, Québec, 20 mars 1914. 3. St. Lawrence
   Bridge Co., détail de la construction en K.

Pages 18 et 19 : 1. ANQ, P 302, P3, avancement des travaux,
   juillet 1913. 2. BAC, PA 108813, riveteurs sur le pont,
   22 octobre 1914.

Pages 20 et 21 : BAC, C 450, transport de la travée centrale.

Pages 22 et 23 : BAC, C 57787, 11 septembre 1916.

Pages 24 et 25 : BAC, C 8082, montée de la travée centrale,
   18 septembre 1917.

Pages 26 et 27 : BAC, PA 44742, le pont en octobre 1918.

Pages 28 et 29 : 1. ANQ, P 192, D11, P1, le premier train franchit
   le pont. 2. St. Lawrence Bridge Co., Son Altesse le prince
   de Galles inaugure le pont, 22 août 1919.

Pages 30 et 31 : Musée des Sciences, CN 003067.

Page 32 : St. Lawrence Bridge Co., pose de la dernière cheville
   du pont.